Chers amis rongeurs,
bienvenue dans le monde de

TÉNÉBREUSE TÉNÉBRAX

LE MONDE DE TÉNÉBREUSE

Ténébreuse Ténébrax

Chovsoukri

Bobo Shakespeare

Papi Frankenstaïe

Scientifique très distrait, spécialiste des momies égyptiennes.

Journaliste de la vallée Mystérieuse, elle résout les énigmes les plus effrayantes avec Chovsoukri, son inséparable chauve-souris domestique.

Ami de Ténébreuse. Célèbre écrivain.

Mamie Crypte

Sgnie et Sgnae

Frissonnette

Nièce préférée de Ténébreuse.

Passionnée d'araignées, elle possède une tarentule géante nommée Dolores.

Jumeaux taquins, experts en informatique.

Ka...

Cafard domestique de la famille Ténébrax.

Polter

Le majordome

Bébé

Il a été adopté avec amour par la famille Ténébrax.

Poltergeist de son vrai nom, fantôme qui hante depuis toujours Châteaucrâne.

Majordome de la famille Ténébrax. Il est snob jusqu'au bout des moustaches.

Monsieur Joseph

Souterrat

Madame Latombe

Gouvernante de la famille. Dans sa coiffure niche Caruso, un féroce canari-garou.

Anémine

Cuisinier de Châteaucrâne, rêve de faire breveter son «estouffade d'étouffé».

Papa de Ténébreuse, il dirige l'entreprise de pompes funèbres «Funérailles au poil».

Plante carnivore de garde

Texte de Geronimo Stilton.
*Sujet et supervision des textes d'*Annamaria Piccione.
*Coordination des textes d'*Alessandra Berello *(Atlantyca S.p.A.).*
Coordination éditoriale de Patrizia Puricelli.
Édition de Viviana Donella.
Coordination artistique de Roberta Bianchi.
Assistance artistique de Lara Martinelli.
Couverture de Giuseppe Ferrario.
*Illustrations intérieures d'*Ivan Bigarella *(dessins et encrage)*
et Giulia Zaffaroni *(couleurs).*
Cartes : Archives Piemme.
Graphisme de Yuko Egusa.
*Basé sur une idée originale d'*Elisabetta Dami.
Traduction de Jean-Claude Béhar.

www.geronimostilton.com

Pour l'édition originale :
© 2010, Edizioni Piemme S.p.A. – Palazzo Mondadori, Via Mondadori, 1 – 20090 Segrate, Italie
sous le titre *Il tesoro del pirata fantasma*
International rights © Atlantyca S.p.A. – Via Leopardi, 8 – 20123 Milan, Italie
www.atlantyca.com – contact : foreignrights@atlantyca.it
Pour l'édition française :
© 2015, Albin Michel Jeunesse – 22, rue Huyghens, 75014 Paris
Blog : albinmicheljeunesse.blogspot.com
Loi 49-956 du 16 juillet 1949 sur les publications destinées à la jeunesse
Dépôt légal : premier semestre 2015
Numéro d'édition : 21317
ISBN-13 : 978 2 226 31534 2
Imprimé en France par Pollina S.A. en avril 2015 - L71882

Stilton est le nom d'un célèbre fromage anglais. C'est une marque déposée de Stilton Cheese Makers' Association. Pour plus d'informations, vous pouvez consulter le site www.stiltoncheese.com

Geronimo Stilton

L'INFECT TRÉSOR DE MORGAN MOUSTACHENOIRE

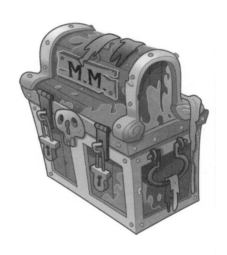

ALBIN MICHEL JEUNESSE

UN COFFRET...
TOMBÉ DU CIEL !

Minuit venait de sonner, et les rues de Sourisia étaient sombres et silencieuses. À cette heure les citadins **RONFLAIENT** comme des bienheureux dans leurs petits lits, et les fenêtres des maisons étaient toutes éteintes. Toutes, sauf une : la **MIENNE** !

J'oubliais, je ne me suis pas encore présenté : mon nom est Stilton, *Geronimo Stilton*, et je dirige *l'Écho du rongeur*, le journal le plus célèbre de l'île des Souris.

Il m'arrive souvent de rester très tard au bureau, surtout quand je travaille sur des enquêtes **IMPORTANTES**.

L'article que je préparais ce soir-là s'intitulait : LES GRANDS CRIMINELS DE SOURISIA. Voyez-vous, je ne suis pas un gars, *ou plutôt un rat,* courageux. Rien que les noms de ces rats me PARALYSAIENT de frousse : Jack le Dératiseur, Nicky Patte-Leste, Al Ratone… BRRR!

Comme j'avais du mal à respirer j'ouvris la fenêtre.

Une rafale de VENT me rafraîchit aussitôt, et je contemplai la cité endormie.

Le ciel noir de la nuit était chargé de gros nuages sombres. C'était une soirée plutôt froide ; une aVerse avait éclaté un peu avant.

JACK LE DÉRATISEUR

NICKY PATTE-LESTE

AL RATONE

 J'étais absorbé dans mes pensées quand soudain…

SBADABOUM !

Un coffret tomba du ciel, et je lançai un cri de TERREUR. Néanmoins, je parvins à le saisir avec mes deux pattes. J'eus le temps d'apercevoir deux ailes de chauve-souris zigzaguant entre les gouttes.

 FLAP ! FLAP ! FLAP !

C'était Chovsoukri, et le colis m'avait été envoyé par Ténébreuse Ténébrax.
À l'intérieur, je trouvai une lettre, un

cahier et un petit morceau de FROMAGE moisi qui puait tant et plus ! Je lus la lettre :

> **Mon cher Rondouillard,**
> **Voici ma nouvelle aventure.**
> **Publie-la immédiatement !**
>
> Je t'envoie aussi une petite friandise : un morceau de fromage vieux de quatre siècles. Bon appétit !

Grignoter un fromage de quatre cents ans ? Pas question, je tiens à mon PELAGE, moi ! En revanche, cette pièce rarissime pourrait enrichir ma collection de croûtes antiques, dont je suis très fier. Le cahier dégageait une odeur ÉPOU-VANTABLE ; pourtant je me mis aussitôt à le lire. Lorsque je terminai ma lecture aux premières lueurs de l'aube, je murmurai :

– Ce manuscrit pue **TERRIBLEMENT**, mais…

À ce moment entra ma sœur Téa, envoyée spéciale de *l'Écho du rongeur* ; elle s'écria :

– Quelle ODEUR !

Mais après avoir lu le cahier, elle commenta, admirative :

– Certes, ce manuscrit pue, mais l'histoire est MAGNIFIQUE !

Puis arrivèrent mon neveu Benjamin,

accompagné de son amie Pandora, et eux aussi déclarèrent en chœur :

– Le manuscrit pue, mais cette histoire est MAGNIFIQUE !

Mes collaborateurs de la rédaction lurent le texte en se bouchant le museau, et tous tombèrent d'accord :

– Le manuscrit pue, mais cette histoire est MAGNIFIQUE !

Seul mon cousin Traquenard s'exclama en entrant à la rédaction :

– Quel *délicieux* parfum !
Puis il repéra le morceau de fromage qui était encore sur mon
bureau, et le dévora de bon
cœur. Il a vraiment un estomac
de **FER** !
Comme ce récit plaisait à tout le
monde, je décidai de publier le livre de Ténébreuse. Il s'intitule :
L'Infect Trésor de Morgan Moustachenoire. Et c'est celui que vous tenez
entre vos pattes. Il ne vous reste plus qu'à le lire,
ou plutôt… à le dévorer !
Bon appétit !

L'Infect Trésor de Morgan Moustachenoire

TEXTE ET ILLUSTRATIONS de
TÉNÉBREUSE TÉNÉBRAX

UNE NUIT DIFFICILE

Comme d'habitude, Bobo Shakespeare avait passé une nuit tourmentée. Chaque fois qu'il parvenait à s'ASSOUPIR, un des treize fantômes de la villa Shakespeare faisait irruption dans sa chambre sous un prétexte FARFELU.

À minuit, Miss Plumeau, la gouvernante fantôme, ouvrit la porte en grand.

– Cet endroit a besoin d'un peu plus de POUSSIÈRE... Je m'en occupe !

Une minute plus tard, Bob Leclou, le MENUISIER, fit son entrée et se dirigea résolument vers le placard.

– Ce double-fond n'est pas assez profond. Il faut l'agrandir !

Entre deux et trois heures du matin, Éva Porée, la rongeuse de chambre, **ENTRA** et **SORTIT** de la chambre au moins dix fois.

– Hmm… Je ne trouve plus mes **lunettes**, pourtant je suis certaine de les avoir laissées ici…

En effet, elles étaient sous l'oreiller de Bobo !

À trois heures, Teddy Orties, le jardinier, décida qu'il était temps d'**arroser** la mousse qui poussait dans les fissures de la commode.

À quatre heures précises, le chien Arf bondit sur le lit de Bobo et lui lécha abondamment le museau.

Bobo aimait bien ces démonstrations d'AFFEC-
TION.

– Merci, Arf, merci ! À présent, laisse-moi dormir !

Le chien parut comprendre : il se pelo-
tonna au pied du lit, ferma les yeux et
s'assoupit.

Mais quelques minutes plus tard, il
leva la tête et dressa les oreilles.

– GRRRRRR ! rugit-il en direction
de la fenêtre qui donnait sur le jardin.

Bobo tenta de le calmer :

– Reste tranquille, Arf. Il n'y a personne. *PERSONNE !*

Mais Arf galopa jusqu'à la fenêtre et aboya à
tue-tête !

– OUAH OUAH OUAHOUUUUUUU !

Bobo se leva, et jeta un coup d'œil dehors : dans l'obscurité de la nuit le jardin semblait endormi. Il retourna se coucher, mais…

OUAH OUAHOUAHOUUUUUUU !

– Arf, je t'en prie, tais-tooooooiiiiii ! implora inutilement l'écrivain.

Finalement, exaspéré, il lança sur le chien :

• le volumineux manuscrit de *Soupirs au gorgonzola*, le nouveau LIVRE qu'il avait commencé à écrire ;

• une vieille PANTOUFLE trouée ;

• le **réveil** qui indiquait trois heures quarante-quatre ;

• une CHAUSSETTE puante.

Ce fut en vain : Arf était un chien fantôme, et les objets lui passaient AU TRAVERS !

Enfin, le premier rayon du soleil pointa au-dessus du pic du Pelage glacé, rebondit sur la cime de la Frousse féline, et se glissa dans la chambre.

Notre pauvre rongeur poussa un soupir de soulagement :

– Il était temps ! Mes FANTÔMES vont enfin filer au dodo. Chien compris !

Tout ce qu'il espérait, c'était de pouvoir dormir quelques heures. Il enfonça son bonnet de nuit, se gratta le museau, ferma les paupières. Il allait sombrer dans le sommeil quand…

Le vrombissement d'une voiture qui démarrait puis freinait brusquement le réveilla en sursaut.

Une nuit difficile

– Qui cela peut-il bien être, à cette heure ? se demanda Bobo, INQUIET.

Il se rendit à la fenêtre pour savoir qui s'était garé devant sa villa, à l'aube. Il ne vit aucune voiture, mais seulement une étendue criblée de TROUS !

– Q-quoi… quoi… quoi ???

Quelqu'un avait CREUSÉ des fosses larges

et profondes dans son jardin… qui ressemblait à présent à un énorme morceau de GRUYÈRE !

– Qui a bien pu faire ça ? murmura Bobo en se grattant la tête. Et surtout POURQUOI ?

M-mais… P-Pourquoi ?

CONNAIS-TU LA BLAGUE DU PIRATE...?

L'aube venait de pointer, et il régnait un **SILENCE** tombal dans la villa. Les treize fantômes qui l'habitaient, comme tous les spectres qui se respectent, avaient plongé dans un sommeil profond pour se remettre de leurs **FANTAISIES** nocturnes.

D'ordinaire Bobo en profitait pour se reposer lui aussi. Mais pas ce **matin**-là...

Malgré la fatigue, l'écrivain, préoccupé par l'apparition des trous dans le jardin, ne cessait de se **tourner** et se **retourner** dans son vieux lit.

Pour tenter de s'endormir,
il compta les CHAUVES-
SOURIS, en vain.
– Je n'y comprends croûte !
lança-t-il à la chauve-souris n°1264.
Mon oncle Ratelme aura peut-être une *explication* !
Bobo se vêtit. Puis il parcourut le long corridor
qui était aussi silencieux qu'un cercueil VIDE, et
aussi GELÉ que l'haleine d'un yeti. Arrivé devant
la salle de la chaudière, il trouva porte close : un
ÉCRITEAU y était suspendu qui déconseillait
d'entrer.

NE PAS DÉRANGER
LE SPECTRE
QUI DORT !!!!!!

Bobo hésita quelques instants, mais finit par prendre son **courage** à deux pattes. Il tourna la poignée et pénétra dans le royaume de son arrière-arrière-arrière-grand-oncle Ratelme, une pièce **circulaire** aux murs couverts d'énormes bibliothèques pleines de livres anciens.

Son oncle, des bigoudis dans les moustaches, dormait profondément sur un vieux fauteuil à carreaux. Bobo tenta de le réveiller doucement.

– On-oncle Ratelme... r-réveille-toi, il s'est produit un é-événement vraiment très é-étrange...

Mais l'oncle continuait à ronfler. Alors Bobo tenta le tout pour le tout, il prit une grande respiration et hurla à pleins poumons :

— ONCLE RATELME ! RÉVEILLE-TOIIIII !

Le fantôme bondit de son siège en brandissant sa canne.

– Que se passe-t-il ? La maison brûle ? Les enne-mis nous attaquent ? CHARGEEEEZ !!!

Puis il aperçut Bobo et retomba assis dans son fauteuil.

– Qu'est-il arrivé, mon neveu ? Pourquoi *troubles*-tu le sommeil du juste ?

– Cette nuit on a cri-criblé de TROUS notre ja-jardin !

Chargeeeez !!! Oncle Ratelme, c'est m-moi !

L'oncle Ratelme toussota, perplexe. Il réfléchit et re-réfléchit, puis s'illumina.

– J'y suis ! C'est sûrement quelqu'un qui cherche le TRÉSOR !

Les moustaches de Bobo vibrèrent d'émotion.

– Un trésor ? Mais pourquoi diable chercher un trésor dans notre jardin ?

– Quel ignorant tu fais, mon cher neveu ! bâilla l'oncle. Ignores-tu la LÉGENDE selon laquelle le pirate Morgan Moustachenoire a séjourné dans notre villa et y a caché un trésor ?

– Vraiment ?! s'exclama Bobo, INCRÉDULE.

Oncle Ratelme acquiesça du museau.

En dépit du sommeil qui alourdissait ses paupières, il continua :

LE PIRATE MORGAN MOUSTACHENOIRE

– De nombreuses RUMEURS circulent
à ce sujet dans la vallée Mystérieuse.
On prétend qu'il y a environ quatre
siècles, Morgan Moustachenoire
était un très grand ami de ta tri-
tri-trisaïeule Monica Bellsouris.
– Monica Bellsouris ?
– Elle-même. Personne n'a
jamais retrouvé TRACE du
fameux trésor. Maintenant
ça suffit, mon neveu ! conclut

Monica Bellsouris

oncle Ratelme. La journée est faite pour **dormir**.
Mais avant je voudrais juste te raconter quelques
blagues désopilantes. Connais-tu celle du...
Et l'oncle Ratelme sortit une rafale d'histoires
plus ou moins drôles, avant de tomber endormi
comme une PIERRE.
Bobo en profita pour sortir de la pièce sur la pointe
des pattes. Il referma tout doucement la porte.

– FAIS DE BEAUX RÊVES, MON ONCLE ! murmura-t-il.

Puis il se gratta le museau et s'exclama :

– Il y a un **MYSTÈRE** là-dessous… Je sais à qui demander de l'aide. Il faut que j'appelle Ténébreuse !

LES BLAGUES DE L'ONCLE RATELME

ENTRE PIRATES
– La marée monte ! fait l'un,
– Par l'escalier ou l'ascenseur ?
demande l'autre.

LE COMBLE
– Quel est le comble pour un pirate
– Appeler son enfant… « mon trésor » !

TÉNÉBREUSE, AIDE-MOI !

Un soupçon de POUDRE à la moisissure de lichen puant, et un léger trait de ROUGE À LÈVRES à la bave d'escargot d'Antarctique ! Voilà ce qu'il faut pour bien commencer la journée !

Comme tous les matins, Ténébreuse Ténébrax se préparait devant son MIROIR. Elle ne pouvait évidemment pas sortir pour réaliser son interview sur les masques des films d'épouvante sans s'être composé son légendaire teint de MOMIE !

Tandis qu'elle mettait la dernière touche à son maquillage, son téléphone sonna.

– Salut, Ténébreuse, ici, Bobo. Il y a que-quelque chose qui m'inquiète…

– Je sais de quoi il s'agit ! Mais ne t'ANGOISSE pas pour ça, Bobi-chou !

– Ah bon ? Mais…

– Ta Ténébrounette adorée a déjà tout réglé ! TRIOMPHA la jeune rongeuse, sans laisser à Bobo le temps de poursuivre.

– Dé-déjà ?

– Bien sûr ! Et laisse-moi te dire qu'ils sont magnifiquement HORRIBLES !

– Ah, tant mieux ! Magnifi… M-mais de quoi parles-tu exactement ?

– Comment ça, de quoi je parle ? De nos merveilleux costumes, évidemment !

– Des co-costumes ? répéta Bobo, perplexe.

– Oui, des costumes ! Lady Ragondin a réalisé

un travail *fantasouristique* ! À dire vrai,
pour ma robe de chrysanthèmes fanés, j'ai un
peu **DISCUTÉ** la disposition des pétales moisis,
mais pour ton…

– Ténébreuse, de qu-quoi…

– … habit, il n'y a pas eu le moindre problème :
tu seras une assourissante…

– Qu-qu'est-ce que…

– … **POUBELLE** pour le tri sélectif des déchets !
Ose prétendre que ce n'est pas
une idée délicieusement **PUTRIDE** !

Qu-qu'est-ce que...

– Mais de quoi parles-tu ?!? parvint enfin à articuler Bobo.

– Comment, Bobichou, ne te l'ai-je
pas dit ? J'ai demandé à la styliste la
plus en vue de la vallée Mystérieuse
de concevoir nos tenues pour le
grand **BAL** de ce soir !

– G-grand bal ? Ce-ce soir ?

– Bobichou ! Il faut toujours tout t'expliquer ! s'impatienta Ténébreuse. Enfin, nous sommes le 21 décembre, le jour du *SOLSTICE D'HIVER* : cette nuit sera la plus longue de l'année, et toute la vallée Mystérieuse fête l'événement ! Il y aura d'abord le **dîner** du Solstice, ici même, à Châteaucrâne, après quoi nous nous rendrons à l'Académie, pour le grand bal masqué !

– Je-je l'ignorais complètement !

– Mille millions de momies démomifiées, Bobo, tu veux vraiment me faire perdre mon **calme** ! Nous avons reçu les invitations il y a des semaines !

Soudain, Bobo se souvint. Il fouilla rapidement dans un tiroir, et en sortit un carton violet très *élégant*.

N'étant pas tellement amateur de FÊTÈS mondaines, il l'avait complètement oublié !

*Votre Excellence Rongeuse est invitée
au grand bal du Solstice.*

*Il se tiendra durant la nuit du 21 décembre,
à l'Académie des Arts du frisson.*

*Attention !!!
Il s'agit d'un bal masqué !*

– Té-Ténébreuse, je ne crois pas que ce soit une bonne idée… Je danse très mal et…

– Ne dis pas de sottises ! Pour rien au monde on ne peut manquer le *grand bal du Solstice* !

Bobo soupira. Quand Ténébreuse avait une idée en tête, il n'y avait plus qu'à se résigner, et à la suivre.

– D'accord, je viendrai. Mais avant, il faut que tu m'aides à résoudre un MYSTÈRE !

S'il y avait bien une chose que Ténébreuse adorait, c'étaient les mystères.

– De quoi s'agit-il, mon Bobichou ? susurra-t-elle, intriguée.

– Ce matin, j'ai trouvé le jardin de la villa aussi **TROUÉ** qu'un gruyère ! Oncle Ratelme pense que quelqu'un cherche le trésor de Morgan Moustachenoire…

– MORGAN MOUSTACHENOIRE ! Le pirate le plus fameux de la vallée Mystérieuse ?

– Lui-même. Il a séjourné à la villa Shakespeare, invité par mon arrière…

– Bobichou, voilà un mystère aux petits OIGNONS bien puants ! s'enthousiasma Ténébreuse. Nous allons découvrir qui a creusé les trous, et avec un peu de chance nous mettrons aussi la patte sur le TRÉSOR !

– Merci, Ténébreuse ! Je savais que je pouvais compter sur toi !

Une fois qu'elle eut raccroché, la jeune rongeuse laissa exploser sa JOIE.

– Voilà qui fera une fantasouristique histoire d'**ÉPOUVANTE** !

Puis elle avisa sa chauve-souris domestique, qui voletait au-dessus d'elle :

– Chovsoukri, prépare-toi ! Tout de suite après le **PETIT DÉJEUNER**, nous partons à la chasse aux mystères !

Nous partons à la chasse aux mystères !

Ventres vides à Châteaucrâne

Ténébreuse entra dans la salle à manger, où toute sa **FAMILLE** était réunie. Il lui suffit d'un instant pour comprendre que quelque chose

Que se passe-t-il ?

n'allait pas. Les 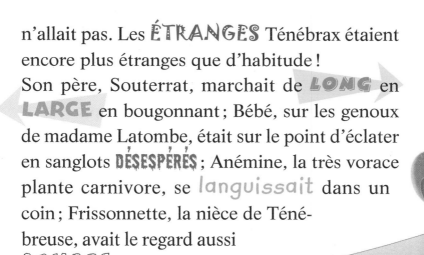 ÉTRANGES Ténébrax étaient encore plus étranges que d'habitude !

Son père, Souterrat, marchait de LONG en LARGE en bougonnant ; Bébé, sur les genoux de madame Latombe, était sur le point d'éclater en sanglots DÉSESPÉRÉS ; Anémine, la très vorace plante carnivore, se languissait dans un coin ; Frissonnette, la nièce de Ténébreuse, avait le regard aussi SOMBRE qu'un

caveau, et les jumeaux Sgnic et Sgnac, silencieux et **TRISTES**, se tenaient à l'écart !

– Que se passe-t-il ? s'inquiéta Ténébreuse.

– **UNE TRAGÉDIE !** soupira mamie Crypte. Monsieur Joseph ne nous a pas préparé l'estouffade du petit déjeuner !

Ténébreuse en fut **PÉTRIFIÉE** : d'ordinaire, à chaque repas, le cuisinier de la maison Ténébrax servait invariablement, dans une grande marmite, sa fameuse spécialité : une estouffade contenant toutes sortes d'ingrédients, et que seuls les habitants de Châteaucrâne étaient en mesure d'apprécier… et de digérer !

À ce moment, monsieur Joseph en personne fit irruption dans la salle.

– Je suis un cuisinier **RUINÉ**, **LESSIVÉ**, FINI ! gémit-il. Ce soir… sniff… on célèbre le Solstice… sniff ! Tout le monde a préparé quelque chose d'exceptionnel…

– Oui, pour ma part je couvrirai les meubles de Châteaucrâne avec des toiles d'araignées argentées ! intervint mamie Crypte.

– Nous avons préparé une bonne farce ! Des **CONFETTIS** qui collent aux moustaches, pour tout le monde ! ricanèrent Sgnic et Sgnac.

– En ce qui me concerne, j'ai composé une ode funéraire intitulée *Les Sépultures carbonisées*, que je déclamerai avant le dîner... annonça Souterrat.

– Le dîner !!! l'interrompit monsieur Joseph. *Sniff* ! J'avais prévu de préparer une estouffade spéciale pour le dîner du Solstice d'hiver, à Châteaucrâne...

– Ça me paraît une *excellente* idée, l'encouragea Ténébreuse.

– Certes, mais pour réaliser une estouffade spéciale, il faut trouver un ingrédient qui la rende **spéciale**. J'ai tout essayé... *Sniff*... mais

aucun… *AUCUN!* Aucun ne la rend vraiment **spéciale** ! sanglota monsieur Joseph en tendant à Ténébreuse une feuille de papier pleine de taches de gras.

INGRÉDIENTS SPÉCIAUX POUR UNE ESTOUFFADE TRÈS SPÉCIALE !

* Chaussettes hyperpuantes ~~~> Non !
* Mouchoirs crasseux ~~~> Pas assez crasseux !
* Larves de mouches ~~~> Pas assez goûteuses !
* Foies de moustiques ~~~> Trop petits !!!
* Rates de sauterelles ~~~> Déjà utilisées l'an dernier !!!!
* Extraits de vers et vermisseaux ~> Non et non !
* Larmes de crapauds ~~~> Trop fades !!!

– Ne perdez pas **COURAGE**, monsieur Joseph, le réconforta cette dernière. Moi, je vous trouverai le bon ingrédient.

– Vraiment ? fit-il, les **YEUX** brillants d'espoir.

– Bien sûr ! À présent, allez donc nous préparer votre répugnante et irrésistible estouffade quotidienne, d'accord ? Vous savez bien que les Ténébrax ne peuvent pas s'en passer !

Vraiment, vous m'aiderez ?

QUE L'ENQUÊTE COMMENCE !

Il n'y avait pas une minute à perdre : Ténébreuse devait **FONCER** chez Bobo pour l'aider ! Elle courut vers la porte, mais se prit les **PATTES** dans un objet.

– Qui a laissé traîner un coussin au milieu du couloir ? s'énerva-t-elle.

– Quel coussin ?! grinça Chovsoukri. Ne vois-tu pas qu'il s'agit de **Kafka** ?

Les pattes en l'air, la panse si **GONFLÉE** qu'il ressemblait à un oreiller bourré de plumes, gisait effectivement le cafard domestique des Ténébrax.

– Mais oui ! Pauvre Kafka, que lui arrive-t-il ?

– Il a une indigestion, tantine, expliqua Frissonnette en montrant une boîte sur laquelle était écrit : CAFARDÉLICE – DÉLICIEUX PRALINÉS À LA RÉGLISSE POUR CAFARDS GOURMANDS. Je lui ai offert ce paquet… et il a tout ingurgité en une minute !

Ténébreuse jeta un regard mécontent à Kafka et décréta :

– Debout, **GOINFRE** ! Il te faut un peu d'exercice !

Peu après, ils montèrent tous à bord de la *TURBO-TOMBOHOOVER 3000*, le corbillard décapotable de Ténébreuse, en route pour la villa Shakespeare.

Bobo les attendait sur le seuil. Le jardin était parsemé de trous.

– Hum… intéressant, murmura Ténébreuse en examinant une des cavités, tandis que Frissonnette prenait des **PHOTOS**. Visiblement, il s'agit d'un travail de professionnel.

– Qu-qu'est-ce qui te fait dire ça ? demanda Bobo, perplexe.

– *Théorie des puits, galeries et anfractuosités mystérieuses,* programme du deuxième trimestre de la troisième année de l'Académie des Arts du frisson : quand les parois d'un trou creusé clandestinement pendant la nuit présentent un aspect compact, et que tous les cailloux ont été retirés, on doit y voir la PATTE d'un professionnel, récita son amie. Mon petit Bobichou, notre **mYSTÉRIEUX** personnage n'est pas un plaisantin !

– T-tu crois ? murmura Bobo, apeuré.

– Bien sûûûûr ! lui susurra Chovsoukri. TU ES EN DANGEEER !

– En dan-danger ? M-mais je…

Voyant que Bobo était comme d'habitude sur le point de s'*ÉVANOUIR*, Ténébreuse lâcha d'un ton irrité :

– Allez, Bobichou, tu ne vas pas te laisser impressionner par un terrassier nocturne. Ce n'est vraiment pas ce qu'il y a de pire...

Elle le saisit par le col, et le traîna vers la Turbo-Tombohoover 3000 !

– C'est parti ! L'enquête doit continuer !

– Mais où-où allons-nous ? balbutia Bobo.

– À l'*ACADÉMIE DES ARTS DU FRISSON* ! annonça Ténébreuse. Quelqu'un est sur la piste du trésor de Morgan Moustachenoire. Si nous voulons le prendre de vitesse, il faut que nous en sachions plus. Et je sais qui pourra nous conseiller !

– Tantine, il vaut mieux que je reste ici avec Kafka. IL NE VA PAS BIEN DU TOUT ! s'inquiéta Frissonnette.

En effet, le cafard se traînait péniblement dans le jardin, en proie à de terribles maux de ventre.

– D'accord. Mais prête-moi ton appareil photo : les CLICHÉS des trous pourraient nous être utiles. Sur ces mots, Ténébreuse, Bobo, et l'inévitable Chovsoukri montèrent dans le corbillard violet et s'ÉLOIGNÈRENT.

Ils ne s'étaient pas rendu compte que, derrière un buisson, des regards avaient espionné tous leurs mouvements.

? Qui se dissimule dans ce buisson ?

RECHERCHES À L'ACADÉMIE

– Première étape : le bureau du professeur Alabordage ! claironna Ténébreuse en *bondissant* hors de la Turbo-Tombohoover 3000, qu'elle avait garée dans la cour de l'Académie des Arts du Frisson.

– Qu-qui est ce professeur Alabordage ? demanda *timidement* Bobo.

– Il enseigne la *piratologie appliquée*, expliqua Ténébreuse. C'est un grand expert : il sait tout sur les **PIRATES** qui ont sillonné les mers !

Et sans laisser à Bobo le temps de répliquer, elle

ACADÉMIE
DES ARTS DU FRISSON

...our
...nchée

Amphithéâtre
de monstrologie
comparée

Salle d'expérimentation
des hurlements
et évanouissements

Terrasse
des murmures

...lasse de
...uinements
suraigus

Bibliothèque
des frissons
littéraires

Voici l'Académie !

le tira par la manche et le **TRAÎNA** dans les couloirs de l'Académie jusqu'à une porte munie d'une PLAQUE.

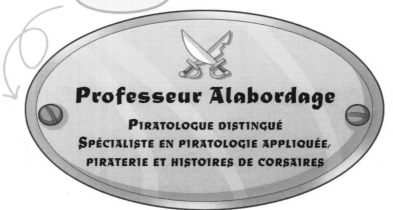

Professeur Alabordage

PIRATOLOGUE DISTINGUÉ
SPÉCIALISTE EN PIRATOLOGIE APPLIQUÉE,
PIRATERIE ET HISTOIRES DE CORSAIRES

Ténébreuse allait sonner, mais la porte s'ouvrit toute seule, et un sympathique museau, avec un **bandeau** sur l'œil, pointa dans l'embrasure.

– Vous êtes déjà là ? lança le vieux rongeur, soulevant son drôle de **CHAPEAU** en signe de bienvenue. Je ne vous attendais pas si tôt !

– V-vous nous attendiez ? bégaya Bobo.

– Bien sûr ! On n'a pas tous les jours l'occasion

de rencontrer un couple de SAVANTS aussi
méritants !

– Sa-savants ?! M-mais de qui-qui parlez-vous ?
balbutia Bobo, totalement PERDU.

– N'êtes-vous pas les frère et sœur Pipelette ?
Les célèbres interprètes de dialectes piratiens ?

– Professeur, vous avez toujours le mot pour
rire ! s'esclaffa Ténébreuse.

– Mille millions de galions percés ! Je
connais cette voix ! Ténébreuse !
s'exclama le rongeur en retirant
son bandeau.

Puis, en s'adressant à Bobo :

– Tu as tout de même un
aspect très BIZARRE…

– En vé-vé-rité, Té-té-né-
breuse, c'est elle…

– Bien sûr, te voilà ! se
réjouit le professeur en se

retournant vers la jeune rongeuse et en replaçant son bandeau sur l'autre œil. Je me disais aussi que je t'avais connu une mine plus éveillée ! Alors ce rongeur qui me regarde d'un air de **raton frit**, qui est-ce ? s'enquit Alabordage en lançant un clin d'œil complice à Ténébreuse.

– C'est Bobo Shakespeare, un gros nigaud d'*écrivain* ! ricana Chovsoukri.

– Mille millions de baleines ! Un écrivain ? J'espère qu'il m'a apporté quelques belles **biographies** de pirates ! se réjouit le professeur en se frottant les pattes.

– Nous menons une enquête sur le pirate Morgan Moustachenoire. Il semble qu'il ait caché un TRÉSOR dans la maison de mon ami. Est-ce que vous savez quelque chose à ce sujet ? demanda la rongeuse.

– Voyons, voyons… Moustachenoire, dis-tu…
Ténébreuse et Bobo suivirent le professeur dans

son cabinet de travail, garni d'étagères pleines d'objets ÉTRANGES à l'aspect moisi. Une feuille de papier JAUNI était fixée au mur.

INVENTAIRE DU BUREAU

- 24 encyclopédies sur la piraterie et 12 essais sur les attaques, les abordages, et les galions abandonnés.

- 117 journaux de bord illustrés.

- 113 drapeaux de vaisseaux pirates.

- 44 cartes de trésors déjà trouvés (par d'autres).

- 8 crochets ayant appartenu aux 8 plus redoutables pirates de tous les temps.

- 3 plumes colorées issues du plumage de Canaille Magnifique, le plus célèbre des perroquets pirates.

- 1 rarissime boussole trouve-trésors (hors service).

Le professeur se mit à FEUILLETER les vieux volumes pleins de poussière, et trouva finalement ce qu'il cherchait.

– Ah, voici ! D'après L'ENCYCLOPÉDIE DE LA GESTE PIRATE, Morgan Moustachenoire a séjourné dans la vallée Mystérieuse et a été hébergé à la villa Shakespeare.

– Nous avions vu JUSTE, Bobichou ! triompha Ténébreuse.

– En pirate gentilrongeur qu'il était, Moustachenoire a offert en CADEAU à son hôte, la très séduisante Monica Bellsouris, un merveilleux trésor, fruit de ses pirateries…

– Sait-on où il l'a d-dissimulé ? s'écria Bobo, plein d'espoir.

– Non, mon cher écrivain, ça, personne ne le sait !

– Donc le seul qui pourrait nous désigner l'endroit exact où Moustachenoire a enterré le

magot c'est… Moustachenoire !
déduisit Ténébreuse.

— Malheureusement, il a toujours été le plus *DISTRAIT* des pirates distraits, précisa le professeur. Une fois qu'il avait **DISSIMULÉ** ses trésors, il oubliait aussitôt le lieu de la cachette !

— Alors c'est peut-être son propre fantôme qui a CREUSÉ ces trous dans le jardin de la villa Shakespeare, pour retrouver son butin ! s'enthousiasma Ténébreuse. Quelle incroyable histoire ! Un mystérieux TRÉSOR, un PIRATE et son FANTÔME ! Je vais écrire l'article du siècle !

— Hélas, ma chère amie, si mes informations sont exactes, et elles le sont toujours, il ne peut être l'auteur de ces trous. En effet, le fantôme de Moustachenoire n'APPARAÎTRA que quand le trésor sera retrouvé. Toutes les légendes à son sujet l'indiquent clairement !

– Alors c'est sans issue ! soupira Bobo, **DÉCOURAGÉ**.

Ténébreuse le secoua immédiatement.

– Ne dis pas de **SOTTISES**, Bobichou ! Nous trouverons le trésor, nous ferons apparaître le fantôme, et moi j'aurai mon **SCOOP**. Mais l'urgence, c'est de découvrir qui a creusé les trous dans ton jardin !

Une experte en cachettes

Sans même laisser le temps à Bobo de saluer le professeur Alabordage, Ténébreuse se remit à courir dans les couloirs et les escaliers de l'Académie, de **haut** en **bas** et de **bas** en **haut**. Bobo ahanait et peinait à la **suivre**.

– Té… Té… puff… Ténébreuse… Où allons-nous à présent ? articula-t-il dès qu'il parvint à reprendre son souffle.

– Chez la professeure Alatrace, évidemment !

– Une autre… puff… *EXPERTE* en pi-pirates ?

Sans s'arrêter, Ténébreuse **SECOUA** la tête.

– Mais non, Bobichou, que ferions-nous d'une

« autre experte en pirates » ? Le trésor peut attendre ! D'abord nous devons démasquer celui qui a creusé les trous dans ton jardin. Parfois tu fais vraiment le nigaud !

Tout en voletant au-dessus de la tête de Bobo hors d'haleine, l'insolent Chovsoukri lui fit écho :

- NIGAUD ! NIGAUD !

Puff Puff!

– La professeure Alatrace est une spécialiste des cachettes, continua la jeune rongeuse en gravissant quatre à quatre les marches vermoulues qui conduisaient au sommet d'une des tours de l'Académie. Je vais lui montrer les **PHOTOS** des trous. Peut-être comprendra-t-elle qui en est l'auteur !

Bobo était perplexe, mais avant qu'il puisse répliquer, il se retrouva devant une porte sur laquelle était vissée une PLAQUE . À bout de souffle, il lut l'inscription :

PROFESSEURE
ALATRACE
CHERCHEUSE ET ANALYSTE DES CACHETTES
DE TOUTES FORMES ET DE TOUTES SORTES
ENSEIGNANTE EN ART DE RELEVER LES TRACES,
EMPREINTES ET AUTRES INDICES

– J'étais sa meilleure élève, confessa Ténébreuse avec un mouvement de *fierté*, avant de frapper résolument à la porte.

– Qui va là ? cria une voix féminine.

Une rongeuse à l'allure **ATHLÉTIQUE**, vêtue d'un gilet sur une chemise, portant au cou une grosse paire de jumelles, apparut sur le seuil.

– Ténébreuse ! Mon élève au flair *exceptionnel* ! Quel bon vent t'amène ? As-tu des **RECHERCHES** en cours ? Oh, je vois que tu as amené un assistant… commenta l'enseignante en dévisageant Bobo.

– Je… je suis Bobo Shakespeare, souffla l'écrivain.

– Il me semble un peu *benêt*… continua-t-elle. Mais j'imagine qu'il n'est pas facile de trouver un

assistant compétent, de nos jours ! Installez-vous, je vous en prie.

Ténébreuse eut un petit RIRE, et entra dans le bureau encombré par une multitude de loupes, jumelles, filets à papillons, et autres instruments BIZARROÏDES.

– Nous sommes à la recherche d'un trésor, expliqua la jeune rongeuse. Le problème, c'est que nous ne sommes pas les seuls : quelqu'un d'autre est sur sa piste, et je pense qu'il s'agit d'un professionnel !

Ce disant, Ténébreuse tendit à sa professeure

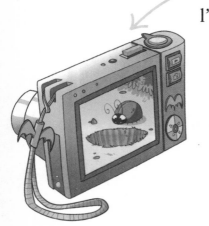

l'APPAREIL PHOTOGRAPHIQUE de Frissonnette. Sur l'écran, on voyait l'image agrandie d'un des trous du jardin de la villa Shakespeare.

La professeure Alatrace l'**OBSERVA** attentivement, en plissant les yeux.

– Hum… Tu as raison, c'est un travail de **PROFESSIONNEL** ! Et je pense savoir exactement qui en est l'auteur !

MISSION INACCOMPLIE !

Pendant ce temps, dans le jardin de la villa Shakespeare, le pauvre Kafka gémissait sans cesse, en proie à de terribles CRAMPES d'estomac. Frissonnette en était peinée, et elle décida de le distraire en lui racontant une histoire :

– Il était une fois une grosse araignée qui vivait dans le TRONC d'un vieil arbre du cimetière…

– Ils ne font plus ATTENTION ! Allons-y maintenant ! murmura une voix à quelques mètres.

Tilly, Milly et Lilly, les triplées Rattenbaum, sortirent sur la pointe des pattes du buisson derrière lequel elles étaient dissimulées.

Quelqu'un d'autre se mit lentement en mouvement à leur **SUITE**, en faisant bruisser les feuilles.

– Doucement, bon à rien ! siffla Tilly au gros **mille-pattes** domestique qui les suivait partout.

Tancrède le mille-pattes

Un instant plus tard les triplées montèrent dans leur voiture, une guimbarde déglinguée, vieille d'au moins un demi-siècle, tandis que le mille-pattes s'installait lentement sur le siège arrière. Milly mit le contact, et l'auto **DÉMARRA**.

Bientôt le palais Rattenbaum se profila à l'horizon.

– **JE LE SAVAIS.** Il est là.

– **JE LE SAVAIS.** Il nous attend.

– **JE LE SAVAIS.** Qu'allons-nous lui dire ?

Devant le portail du vieux manoir, telle une **STATUE**, se découpait la silhouette énigmatique

d'Amer Rattenbaum, avec son chapeau haut-de-forme défoncé, et son costume RAPIÉCÉ. Dès qu'il aperçut les triplées, le seigneur du lieu écarta les bras avec *enthousiasme*.

– Mes sublimes, enchanteresses et aristora-tiques petites-filles ! Quelles bonnes **nou-velles** apportez-vous à votre illustrissime grand-père ?

Je le savais, il est là !

Il nous attend !

Qu'allons-nous lui dire ?

PAR LÀ

PAR ICI

EN HAUT
ET
EN BAS

Les triplées sortirent de la voiture, et **TOUS-SÈRENT** bruyamment pour cacher leur embarras.
– Or donc, mes bien-aimées ? insista Amer. Mission accomplie ?

MISSION INACCOMPLIE !

– JE DIRAIS PLUTÔT...
– ... MISSION...
– ... INACCOMPLIE !

Amer Rattenbaum était un gentilrongeur qui savait maîtriser ses émotions.

– **QUOIIIII ?** brailla-t-il, fou de rage.

Les triplées se **SER-RÈRENT** les unes contre les autres.

– Aucun trésor, même...

Vous n'avez pas trouvé le trésor ?!

– … pas une croûte de fromage…

– … seulement un bidon vide.

– Voulez-vous me dire que, malgré l'aide d'un terrassier professionnel comme Tancrède, vous avez ÉCHOUÉ ?

Tilly, Milly et Lilly tentèrent de se justifier :

– Nous avons trimé toute la NUIT !

– Il est possible que cette histoire de trésor soit FAUSSE !

– Il n'y a peut-être AUCUN trésor à la villa Shakespeare !

Amer entra dans une fureur noire :

– Fausse ? Je n'ai jamais rien entendu de plus stupide, espèce de souridicules ! Cette information m'a été révélée par un *gentilrongeur* très respectable, du club des Aristorats décadents !

– Certes, mais quelqu'un l'a peut-être déjà trouvé ! hasarda MILLY.

– Rien n'a été trouvé ! Nous l'aurions su !

s'étrangla le noble rongeur. Retournez le chercher ! *IMMÉDIATEMENT !!!*

Sur ces mots, il poussa le mille-pattes sur le siège arrière de l'auto. Celui-ci s'agita comme s'il avait été piqué par une tarentule enragée. Il avait tellement creusé durant la nuit : il était trop éreinté pour repartir à la chasse au trésor ! Les triplées tentèrent de protester :

– MAIS...

– NON...

– C'EST QUE...

– Il n'y a pas de « mais », ni de « non », ni de « c'est que » qui tienne ! coupa le grand-père. Filez et ne revenez pas les PATTES vides !

Tancrède
le mille-pattes

FONCTION : accompagnateur officiel des très nobles triplées Rattenbaum.

LIEU D'ORIGINE : monts Mocassins.

ÂGE : quatre fois ressemelé.

SIGNES PARTICULIERS : possède plusieurs milliers de paires de chaussures !

PRÉFÉRENCES : privilégie les souliers à la dernière mode, mais ne dédaigne pas les modèles artisanaux (pourvu qu'ils soient confortables !).

CYCLES CLIMATIQUES : l'été, porte des sabots, des tongs ou des sandales ; l'hiver, des bottes ou des après-ski. À la maison, il chausse toujours des babouches.

QUALITÉS : terrassier exceptionnel, il termine toujours les travaux qui lui sont confiés.

DÉFAUTS : très distrait, et se fatigue vite.

UN JARDIN TRÈS FRÉQUENTÉ

La professeure Alatrace avait reconnu l'auteur des trous à son style inimitable : il s'agissait de Tancrède le **mille-pattes**, son ex-assistant, qui avait abandonné la carrière académique pour un emploi à la maison Rattenbaum.

– Il semble bien que ces **mijaurées** de triplées Rattenbaum soient derrière ce mystère, lança Ténébreuse en sortant de l'Académie. J'aurais dû m'en douter ! **RETOURNONS** chez toi, Bobo. Nous devons absolument trouver le trésor avant elles : je ne veux pas que le fantôme

de Moustachenoire APPARAISSE à ces pim-
bêches, et que l'interview du pirate me passe
sous le museau !

La Turbo-Tombohoover 3000 atteignit la villa
Shakespeare juste au moment où le tacot
des Rattenbaum se garait dans un concert de
GRINCEMENTS et d'EXPLOSIONS.

– Par l'asthme du fantôme de mon grand-père !
Les trois aristochipies sont déjà là ! s'écria Ténébreuse.

Aussitôt, les triplées assaillirent Bobo de leurs
minauderies.

– Regardez-moi ça… commenta aigrement
Ténébreuse. Quel mauvais vent vous amène ?
Les trois grâces la regardèrent à peine.

– Humpf ! Encore cette PRÉTENTIEUSE…

– … cette CRÂNEUSE…

– … cette TÉNÉBREUSE…

– Eh oui, encore moi ! Et j'ai récolté des

Regardez-moi ça...

informations passionnantes à propos d'un certain terrassier de votre connaissance.

Les triplées échangèrent un regard INQUIET.

– Nous ne savons pas…

– … de quoi…

– … tu parles !

À ce moment, du siège arrière de leur auto sortit lentement le mille-pattes, l'air plus ensommeillé que jamais.

– Le voilà ! C'est le responsable des fosses de ton jardin, Bobo ! s'exclama Ténébreuse.

– Qu'est-ce que tu racontes ? Ce n'est que Tancrède, notre mille-pattes domestique ! rétorqua Milly.

– Il n'a rien à voir avec vos TROUS ! continua Tilly.

– De toute façon, tu n'as aucune preuve ! conclut Lilly.

– Je parie que ces trous sont VOTRE œuvre... reprit Ténébreuse, sans se démonter. Et que vous êtes revenues pour creuser de nouveau !

– Pas du tout ! Nous sommes là pour inviter *Robo*… commença Tilly.

– … à être notre cavalier… poursuivit Milly.

– … au grand bal du Solstice ! termina Lilly.

Ténébreuse devint verte de RAGE.

– Je vais vous momifier, vous transformer en chair à saucisse, faire des nœuds avec vos corps de vipères visqueuses ! Tout le monde sait que Bobo sera MON cavalier !

Juste à ce moment Frissonnette arriva.

– Tantine, te voilà enfin ! Kafka va beaucoup *mieux*, regarde !

Le cafard domestique trottinait dans le pré, heureux d'être à nouveau en forme. Les trous de ce jardin en friche semblaient creusés tout exprès pour lui offrir de nouvelles et passion-nantes explorations.

Il sauta dans le creux le plus éloigné, de façon à ce qu'on ne puisse pas l'apercevoir. Si jamais il

découvrait quelque chose de bon à **grignoter**, il n'avait aucune envie d'avoir à le partager ! Quand il ressortit, il serrait entre ses petites dents un objet qu'il avait **TROUVÉ** dans la fosse. Il le déposa aux pieds de Ténébreuse.

Qu'as-tu trouvé, Kafka ?

LE TERRASSIER DÉMASQUÉ

– ARF ARF ARF !

Ce que Kafka avait posé devant Ténébreuse n'était pas une quelconque BRINDILLE.

– Mille milliards de moucherons moucheronnants ! C'est un MINI-SOULIER ! s'exclama-t-elle.

> – Qui a laissé cette chaussure dans mon jardin ? intervint Bobo.
>
> Les triplées Rattenbaum échangèrent

un regard nerveux, et tentèrent de s'ÉCLIPSER en douce.

Ténébreuse prit Kafka dans ses bras et lui demanda :

– Où as-tu découvert cela, mon petit ?

Kafka orienta ses antennes vers le creux le plus éloigné.

– ARF ARF ARF !

Bobo était le seul à ne pas comprendre l'arfien, le langage des cafards. Chovsoukri lui fit donc la traduction :

– Il l'a trouvée dans ce trou, là-bas, au fond.

Ténébreuse reposa Kafka sur le sol, et examina MINUTIEUSEMENT la chaussure pleine de terre.

Avec ses griffes, elle se mit à la nettoyer soigneusement, et découvrit un nombre : **822**.

Notre rongeuse détective s'approcha aussitôt

du mille-pattes. Celui-ci était *PÂLE* comme un fantôme, et *TREMBLAIT* comme une feuille.

– **ZIG ZIGIZI ZIG ZIG ?** l'interrogea-t-elle d'un ton menaçant.

– **ZIGGI ZIGI ZIGZIGZIG !** balbutia-t-il d'un air coupable.

Le regard de Ténébreuse se radoucit, et elle conclut avec un rassurant :

– **ZIGGI !**

– Ténébreuse, tu comprends ce qu'il dit ? s'exclama Bobo, stupéfait.

– **ÉVIDEMMENT !** Tout le monde connaît le millepiédien ! Et regardez donc…

Ténébreuse fit s'étendre le mille-pattes le ventre **EN L'AIR**, et se mit à lire les numéros sur les semelles de ses mini-souliers.

– 820… 821… Comme par hasard, il lui manque la chaussure n° **822** ! triompha-t-elle en pointant le seul pied nu.

Pendant ce temps, les triplées se dirigeaient sur la pointe des pattes vers leur guimbarde.

– Tantine, les Rattenbaum sont en train de FILER ! s'écria Frissonnette.

– Hé là, pas si vite ! les arrêta Ténébreuse. Maintenant, nous avons les preuves : c'est votre **mille-pattes** qui a creusé les trous !

En échange, vous lui avez promis d'augmenter sa ration de nourriture à une miche entière de pain moisi par jour ! Que cherchez-vous donc ? Ne serait-ce pas… un TRÉSOR ?!

Les trois souris se retournèrent, l'air indigné.

– Comment oses-tu ? Nous n'avons rien à voir là-dedans !

– Tancrède a sûrement creusé de sa propre initiative !

– Nous ignorons tout des trésors de pirates !

Un SOURIRE ironique se dessina sur le museau de Ténébreuse. Elle croisa les bras.

– Ainsi vous n'êtes pas au courant, hein ? Alors comment se fait-il que vous parliez de PIRATES ? Moi, je n'en ai jamais fait mention !

Les Rattenbaum, plus PÂLES que jamais, soulevèrent le mille-pattes, et le posèrent sur le siège arrière de la voiture.

– Allons-nous-en, laissons là cette RACAILLE !

– Nous ACCUSER de creuser des trous, n'importe quoi !

– Nous avons autre chose à faire… NOUS !

Avant de remonter dans leur tacot, elles lancèrent un regard SOUCIEUX sur le jardin.

– Qu'est-ce que dira grand-père ? s'inquiéta Tilly.

– Que nous n'aurons pas de dot ! gémit Lilly.

– Et pas non plus de cavalier pour le grand bal ! se lamenta Milly, en mettant le moteur en marche.

OÙ EST DONC CE TRÉSOR ?

La voiture du trio démarra DIFFICILEMENT, et Frissonnette eut le temps de s'approcher de la fenêtre arrière.

– Prends ceci ! murmura-t-elle au mille-pattes, en lui tendant un petit PAQUET. Ce sont les pralinés de Kafka. Je te les donne : je sais que tu ne pensais pas à MAL !

– **ZIGZIGGI !** se réjouit le mille-pattes.

Pour exprimer sa gratitude, il lui lécha affectueusement le museau.

– Ces trois-là sont incorrigibles, soupira Ténébreuse, en suivant du regard l'auto déglinguée

Hé, hé !

des Rattenbaum qui disparaissait à l'horizon.
Heureusement, elles n'ont pas réussi à mettre
la patte sur le trésor !

Chovsoukri voleta au-dessus de sa tête en coui-
nant :

– À propos… *Oùestletrésor? Oùestletrésor?*
Oùestletrésor?

Ténébreuse, pensive, **ENTORTILLAIT** une
mèche de ses longs cheveux noirs entre ses

doigts. Elle se mit à arpenter le jardin en réfléchissant à haute voix :

– Elles ont peut-être cherché au MAUVAIS endroit… Moustachenoire enterrait toujours ses trésors, n'est-ce pas ?

Frissonnette et Bobo acquiescèrent.

– Donc il est forcément dans le jardin. Peut-être que les cavités ne sont pas assez profondes…

Bobo lui emboîta le pas, mais il se prit la patte dans un TROU, et chuta

Au secouuuurs !

dans le grand bassin d'eau **STAGNANTE** d'une fontaine abandonnée, cachée sous les **RONCES**.

– Bobo, je t'interdis de tomber ! le gronda Ténébreuse, agacée. Ça m'empêche de me concentrer !

– Toujours aussi nigaud ! grinça Chovsoukri.

Bobo émergea *trempé* et *endolori*.

– Là-là-de-dessous... bégaya-t-il.

– SILENCE, BOBICHOU ! le coupa Ténébreuse. J'essaye de réfléchir !

– M-mais là-dessous... répéta-t-il, au comble de la CONFUSION.

Cette fois, ce fut Frissonnette qui l'interrompit en pointant le sommet de son crâne :

– Qu'est-ce que c'est ? Une grenouille ?!

Oumpf!

– Une grenouille avec une pièce d'or dans la bouche ! s'exclama Ténébreuse, électrisée.

Et elle pénétra à son tour dans la fontaine. Puis elle tâta le **FOND** avec sa patte.

– Exactement ce que je pensais, il y a quelque chose de BIZARRE là-dessous !

– C'était ju-justement ce que je vou-voul… balbutia Bobo en s'illuminant.

– Cesse de marmonner des phrases incompréhensibles ! l'interrompit Chovsoukri. Donne plutôt un coup de patte à Ténébreuse, espèce de scribouillard flemmard !

Bobo comprit que décidément **PERSONNE** ne l'écouterait. Il voulait dire qu'en trébuchant, il s'était cogné le museau contre un **COFFRE-FORT** en métal, posé au fond du bassin ! Il se résigna donc, et, au prix d'un immense effort, il souleva le coffre. Il fit semblant d'être surpris quand Ténébreuse s'écria :

_C'est le trésor ! Le trésor de Morgan Moustachenoire !

– Trêve de bavardages ! couina Chovsoukri en tendant son aile vers le trésor. Qu'attendez-vous pour ouvrir cette malle ?

Le trésor de
Morgan Moustachenoire !

QUELLE FORTUNE !

– Chovsoukri a raison. Ouvre-le, tantine !

Une fois le trésor sorti de l'eau, Ténébreuse força la vieille **SERRURE** du coffre, et souleva le couvercle.

– Par le pelage pouilleux du chat de Satan ! Il y a une vraie *fortune* là-dedans !

La malle débordait de doublons d'or sur lesquels était représenté le portrait d'un personnage avec **COURONNE** et **PERRUQUE**.

– Qui est ce rongeur sur les pièces ? demanda Frissonnette.

– Ratonnard IV, dit le Mielleux ! répondit sans hésiter Ténébreuse. Il fut *roi* de la vallée Mystérieuse il y a quatre siècles.

Bobo prit une pièce et la mordilla.

– Ouille ! Aucun doute : c'est de l'or !

– Pensais-tu que c'étaient des crottes de mouches ? se gaussa Chovsoukri.

Au sommet du tas de pièces était posé un parchemin JAUNI. Ténébreuse le lut à haute voix :

Voici le magot amassé jour après jour durant les décennies d'une honnête et respectable carrière de pirate.
Il appartient à l'aimable, délicate et adorable Monica Bellsouris-Shakespeare, qui a illuminé de sa précieuse amitié mes années de retraite bien méritée, à l'issue d'une vie pleine d'aventures.

Morgan Moustachenoire

– Comme c'est *romantique* ! l'interrompit Frissonnette, en essuyant une larme.

– Il y a encore des lignes en dessous. C'est diffi-
cile à déchiffrer, s'impatienta Ténébreuse.

Elle fronça le museau et continua :

*J'oubliais ! En raison de mon âge avancé
et de ma mémoire qui déraille, je ne
me souviens jamais où j'ai rangé mes
affaires !*

*Si Monica Bellsouris ne trouvait pas
ce trésor, il reviendrait à ses petits-
enfants. Ou à ses arrière-petits-enfants.
Ou à ses arrière-arrière-arrière-petits
enfants !*

*Ou à quiconque le découvrira, morbleu
d'Auvergne !*

Pourvu qu'il porte le nom de Shakespeare !

– As-tu entendu, Bobo ? se réjouit Frissonnette. Le trésor est à **TOI** !

– Qui l'eût cru ?! souffla l'écrivain, *rougissant* d'émotion.

– Il y a vraiment beaucoup de doublons… réfléchit Ténébreuse.

Puis elle ajouta d'un ton caressant :

– Il y en a suffisamment pour créer une bourse d'étude à l'Académie des Arts du frisson, afin d'aider les jeunes rongeurs méritants !

Bobo pâlit et tenta de protester, mais Ténébreuse reprit :

– Et avec le restant, tu feras ériger une STATUE de Morgan Moustachenoire sur la place du Pirate-Inconnu, à Lugubria !

Bobo savait que quand son amie avait une idée en tête, la seule solution était d'**OBÉIR**.

– C'est… c'est une excellente idée, soupira-t-il, résigné.

Chovsoukri s'approcha de la malle en plissant le museau.

– Ne sentez-vous pas cet étrange parfum ?

Ténébreuse se pencha sur le trésor.

– Tu as raison, ce **COFFRE** exhale une puanteur exquise ! Il doit y avoir quelque chose sous le tas de pièces.

Elle y plongea la patte et en sortit un objet JAU-NÂTRE, recouvert d'une fine couche de moisissure

verdâtre, d'où émanait une odeur stupéfiante.
Bobo s'*ÉVANOUIT* sur-le-champ.

Ténébreuse renifla sa découverte.

– Ce fromage me paraît vieilli à point, je dirais
qu'il date au moins… de quatre siècles !

– Il semble **délicieusement** fétide ! s'émer-
veilla Frissonnette.

Bobo reprit connaissance. En proie à la nausée,
il bredouilla :

– Je dirais plutôt… épouvantablement
fétide !

La minuscule tête d'un très vieux
vermisseau, portant une longue
barbe et une paire de lorgnons,
surgit hors du fromage.

– Qui c'est, celui-là ? s'écria Bobo
en sursautant.

– C'est un ASTICOT d'époque,
évidemment ! répondit Ténébreuse. Ce fromage

Asticot d'époque

est l'ingrédient idéal que monsieur Joseph espérait !

– Ouiiiii ! confirma Frissonnette. Ce sera parfait pour son **ESTOUFFADE SPÉCIALE DE SOLSTICE** !

– Bais… bais… bensez-vous que ce soit une bonne idée de banger un frobage vieux de quatre siècles ? articula Bobo en se **BOUCHANT** le nez avec ses deux pattes.

– Bien sûr ! Apportons-le-lui ***TOUT DE SUITE*** !

Un Solstice d'Épouvante

★ _MAGNIFIQUE ! ★ SUPER ! ★ SUBLIMISSIME ! ★

s'extasia monsieur Joseph après avoir goûté une miette du **vieux** fromage moisi.

Bientôt une odeur pestilentielle se répandit dans les couloirs de Châteaucrâne, mettant l'**EAU À LA BOUCHE** de tous ses étranges occupants.

– Attends, Anémine ! lança Ténébreuse à la plante carnivore

qui, une cuillère dans ses feuilles, réclamait sa part d'estouffade.

— Il y en aura pour tout le moooonde ! chantonna monsieur Joseph, en remuant le contenu de la **MARMITE**.

Quand les ténèbres enveloppèrent Châteaucrâne, tous les Ténébrax étaient prêts pour le dîner. La vieille demeure n'avait jamais paru aussi lugubre. Les meubles étaient recouverts par les toiles d'araignées luisantes de mamie Crypte, et la salle à manger avait pris un aspect délicieusement SPECTRAL.

Avant de passer à table, Souterrat déclama sa poésie *Les Sépultures carbonisées*, laissant toute la famille pantoise d'admiration.

— QUEL POÈTE ! Quel acteur ! Quel artiste !

applaudit l'assemblée.

Ode
LES SÉPULTURES CARBONISÉES
DE L'ILLUSTRISSIME POÈTE SOUTERRAT

✹ ✹ ✹

ICI CROISSENT LES HERBES PUTRIDES,

ICI RÈGNENT LES PUANTEURS FÉTIDES,

QUI ENTRENT ET SE RÉPANDENT SANS JAMAIS RESSORTIR

DE CES DEMEURES GLAÇANTES ET DOUCES POUR LES VAMPIRES.

Ô TOMBES NOIRES ET MALSAINES,

DE MON ENCHANTEMENT VOUS ÊTES VRAIMENT LES REINES.

QUAND VOTRE ODEUR LÉTALE ME CHATOUILLE ET M'ATTIRE,

MON ÂME, DE PLAISIR, MANQUE DE DÉFAILLIR.

Ô SÉPULTURES CARBONISÉES,

QUI, DANS LA NUIT FROIDE, AUX SOURIS ENTERRÉES,

DES AILES FONT POUSSER !

Puis les convives firent honneur à l'estouffade spéciale de Solstice préparée par monsieur Joseph.

Seul Bobo, après la première bouchée, devint verdâtre, et fut pris de **NAUSÉES** !

– Oups. Pardon, je ne me sens pas très bien…

– Pas d'histoires, Bobichou ! s'exclama Ténébreuse. Tu vas très **BIEN** ! Ton teint s'accorde parfaitement avec ton déguisement. Allons nous préparer !

Dans leurs tenues de bal, Ténébreuse et Bobo étaient *SPLENDIDES* et *terrifiants* !

– Tu vas TOUS les épater, tantine ! se réjouit Frissonnette, tout excitée.

– Merveilleusement épouvantable ! lui fit écho mamie Crypte.

– **DÉRATISANT !** s'exclamèrent en chœur Sgnic et Sgnac.

– **ATROCE !** apprécia Souterrat.

– **Horrifiant !** applaudit madame Latombe.

– À VOMIR ! les acclama monsieur Joseph.

– *Sgnac Sgnaccc !* conclut Anémine, en faisant claquer ses mâchoires.

Un invité surprise

Engoncé dans sa poubelle de tri sélectif, Bobo avait du mal à bouger. Il TRÉBUCHA trois fois avant de parvenir à monter dans la Turbo-Tombohoover 3000 de Ténébreuse.

– Bobo, je t'INTERDIS de tomber encore ! le gronda-t-elle avant de démarrer en trombe.

La façade de l'Académie des Arts du frisson était DÉCORÉE de draps violets, de lanternes funéraires, et de projecteurs diffusant une lumière tremblante.

– C'est magnifiquement mortel !

murmura Ténébreuse, les yeux rêveurs.

Il y avait là des spectres, des momies, des vampires, des chauves-souris, des sangsues, des poubelles et des monstres de toutes espèces.

La cour de l'Académie débordait de rongeuses et de rongeurs **DÉGUISÉS** de manière drôle et horrifiante.

Les triplées Rattenbaum voulaient à tout prix se distinguer, et de fait… elles furent les plus **COMIQUES** de la fête ! Le costume de Milly était trop long, celui de Tilly trop court, quant à celui de Lilly, il était trop large. Leurs énormes perruques grouillaient d'araignées agaçantes, qui les **CHATOUILLAIENT** sans cesse. Tancrède les accompagnait : il portait mille chaussures de danseur de claquettes !

– *Quelle délicieuse soirée !* se réjouit Ténébreuse.

Bobo ne prenait pas autant de plaisir. Les invités avaient tellement jeté d'ordures dans les compartiments de sa poubelle sélective qu'il ne parvenait plus à se MOUVOIR.

De loin, il admira donc Ténébreuse qui se lançait dans une DANSE frénétique avec le mille-pattes. Quand les notes glaçantes de *L'Hymne au désespoir,* de Sourwig van Ratthoven, résonnèrent dans la cour, Ténébreuse rejoignit son ami.

– C'est une fête *inoubliable*... soupira la rongeuse la plus fascinante du grand bal.

– *Inoubliable*, c'est le mot juste ! gémit son cavalier.

– Pourtant il manque quelque chose, ajouta Ténébreuse d'un ton soudain CONTRARIÉ. La visite d'un certain fantôme que je voudrais bien interviewer.

Je me demande ce que Moustachenoire attend pour **APPARAÎTRE**, puisque nous avons mis au jour son trésor !

Juste à cet instant, une rafale de vent GLACÉ frappa Ténébreuse et Bobo.

Un fantôme à la mine impressionnante s'approcha en voletant au-dessus de la cour. Il portait un étrange chapeau muni d'une grande plume. C'était lui, le pirate MORGAN MOUSTACHENOIRE !

– Quelqu'un s'est emparé de mon TRÉSOR ! tonna-t-il. Qui est-ce ?

Ténébreuse, folle de joie, battit des pattes.

– Monsieur Moustachenoire ! hurla-t-elle. C'est mon ami Bobichou qui l'a trouvé ! Allez, présente-toi à monsieur le pirate ! Bobo ? Bobo ?

Le pauvre écrivain gisait à terre, sans connaissance, ENSEVELI sous les ordures sorties de son costume.

– Bobo ! Pourquoi t'évanouis-tu toujours au

meilleur moment ?! déplora Ténébreuse en SECOUANT la tête. C'est un descendant de votre amie *Monica Bellsouris* ! précisa-t-elle à l'attention de Moustachenoire. C'est un Shakespeare !

– Un Shakespeare ! s'exclama le fantôme, en s'ILLUMINANT. Alors mon trésor est entre de bonnes pattes !

– Soyez-en sûr ! affirma Ténébreuse. Et maintenant que diriez-vous de me suivre dans un endroit plus tranquille ? Je voudrais vous interviewer !

FIN

VIVEMENT
LE PROCHAIN !

Encore une fois, le livre de Ténébreuse obtint un succès *fantasouristique* !
L'Écho du rongeur fut submergé de lettres, de coups de téléphone, de sms et d'e-mails, émanant de lecteurs qui réclamaient au plus vite une nouvelle histoire d'ÉPOUVANTE.
Et devinez qui était le plus fanatique de tous ?
C'était mon grand-père, Honoré Tourneboulé !
Un matin il *DÉBOULA* dans mon bureau en grondant :
– Ne reste pas là, à te croiser les pattes, gamin !
Quand publieras-tu le prochain ⒧ⒾⓋⓇⒺ de Ténébreuse Ténébrax, la plus assourissante

auteure d'**ÉPOUVANTE** de la vallée Mystérieuse ?

Je n'en avais pas la moindre idée : mon amie
choisit toujours le moment le plus inattendu
pour m'adresser ses manuscrits…

Mais grand-père insistait et m'APPELAIT cinq
fois par jour. Ben et Pandora venaient quotidien-
nement au bureau, et en repartaient toujours
plus *déçus* en apprenant qu'aucune nouvelle
publication n'était prévue.

Les souriceaux que je rencontrais aux séances de
présentation des l i v r e s de Ténébreuse
me posaient tous la même question.

Finalement je décidai d'envoyer un message
à mon amie : « Écris, Ténébreuse ! Écris ! Écris,
écris, écris ! Nous n'en pouvons plus d'attendre
ton nouveau best-seller ! *Geronimo Stilton*,
directeur de *l'Écho du rongeur* ».

TABLE DES MATIÈRES

1. Mont du Yeti pelé
2. Châteaucrâne
3. Noyer de la Discorde
4. Palais Rattenbaum
5. Fleuve Tourbillonnant
6. Pont de l'Agonie
7. Villa Shakespeare
8. Marais Vaseux
9. Autoroute du Géant
10. Lugubria
11. Académie des Arts du frisson
12. Studios Horrywood

HORRYWOOD

CHÂTEAUCRÂNE

1. Douves vaseuses

2. Pont-levis

3. Entrée monumentale

4. Caves moisies

5. Arcades avec vue sur les douves

6. Bibliothèque poussiéreuse

7. Salle de l'hôte indésirable

8. Salle des momies

9. Tour de garde

10. Escalier grinçant

11. Salle des banquets

12. Garage pour les corbillards d'époque

13. Tour enchantée

14. Jardin des plantes carnivores

15. Cuisine fétide

16. Piscine des crocodiles et bassin des piranhas

17. Chambre de Ténébreuse

18. Tour des tarentules musquées

19. Tour des chauves-souris

DANS LA MÊME COLLECTION

Le Treizième Fantôme de Lugubria

Coup de foudre à Horrywood

Et aussi...

Le Royaume de l'Horloge magique

Le Voyage dans le temps tome VI

Peut-on adopter un bébé terriblosau

**Dépêche-toi,
Cancoyote!**

**Geronimo,
l'as du volant**

**Bons baisers
du Brésil**

Noël à New York

**Sur la piste
du Livre d'or**

**Alerte
aux pustules bleues!**

CHERS AMIS DU FRISSON, À BIENTÔT POUR UNE NOUVELLE TÉNÉBREUSE AVENTURE!